★本作品純屬虛構，與實在的人物
、團體、事件等均無關係。

NARUTO
-火影忍者-
卷之九
寧次與雛田
岸本斉史

主要登場人物
宇智波佐助
漩渦鳴人
春野櫻
阿凱
日向寧次
李・洛克
天天
藥師兜
奈良鹿丸
犬塚牙&赤丸
日向雛田
山中井野
油女志乃
秋道丁次

前情提要

原本是木葉忍者村忍者學校中的問題學生鳴人，終於與佐助、小櫻一起成為忍者了。卡卡西推薦鳴人等人前去參加中忍選拔考試。在他們安然的通過筆試之後，前往了第二場考試的考場「死亡森林」。當各小組在森林中進行卷軸爭奪戰的同時，鳴人一行人遭到令人覺得不舒服的忍者——大蛇丸的襲擊！大蛇丸在佐助身上留下咒印後就消失了……

包含鳴人小組在內的七個小組走出了「死亡森林」，順利的通過「第二場考試」。他們將參加以個人對抗賽形式進行的「第三場考試」預選，除了宣佈退出的兜之外，這二十個人展開了戰鬥！預選到底會由哪些人獲勝呢？

NARUTO

—火影忍者—

卷之九

寧次與雛田

目 次

73
敗北宣言…？

井野那傢伙怎麼了？
而且…而且…
小櫻的樣子也好像怪怪的耶！

但是…這是個好機會！
小櫻！快上呀！

沒用的啦…

沒想到她在這個時候才使出身心轉換術…真是敗給她了…
！

身心轉換術？
這麼說的話，小櫻現在……

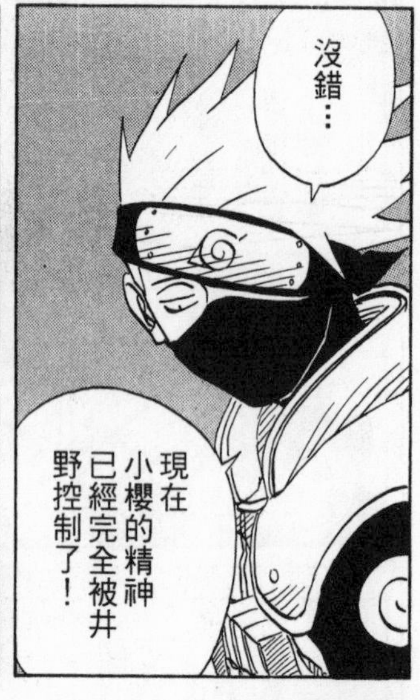
沒錯…
現在小櫻的精神已經完全被井野控制了！

井野正存在於小櫻的精神中…
……!!

我看…
井野的目的大概就是…

這樣就結束啦…
再見了…小櫻…

ゴクッ…

！
舉手

……

我——
春野櫻……
宣佈放棄
這場比賽…

！

！

！

！

不行啦！
小櫻——
！
！

唉……
他好囉唆
喔……

我們都已經努力
拼到這裡來了耶！
如果妳輸給了
這個迷戀佐助
成痴的女人…
那妳就不
配當個女
人了！
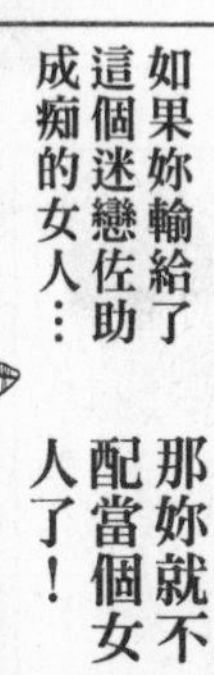

哼…！
你對我說這
種事情也沒
用啦…

ビクッ
!!

怎麼……
プル
プル

這股寒氣……
プル
プル
ゾクッ

鳴人那傢伙真的很囉唆耶…

不過他說得也對…我怎麼能輸給這種對手呢？
フラ
フラ
啊…

小櫻？
這怎麼可能…

妳怎麼了？
要棄權嗎？
プル
プル
プル

小櫻的內心
我怎麼可能…
別開玩笑了!!
可惡!
宣佈棄權呢——!

糟了！
再這樣下去……我會撐不住的！
解！

抖！
抖！

呼
呼
呼
呼
呼

呼
呼
呼
呼
呼

怎麼可能……
她居然破了井野的忍術！

她在之前使用太多力氣了…
所以使用這招的查克拉就不夠了…

妳居然有兩個精神……
妳…妳到底是何方神聖？
呼
呼
呼
呼

嘻嘻…妳不知道嗎？
女孩子如果不變得強壯一點，是沒辦法生存下來的喔！
呼
呼
呼
呼
呼

中了那招之後，根本就沒辦法輕易地把入侵者趕出去…
井野的查克拉不足…這是失敗的原因之一…

但是更重要的是小櫻的心中對她的死對頭．井野所抱持的鬥爭心——
鳴人的聲音喚醒了她的鬥爭心……
使她成功的把井野趕出去……

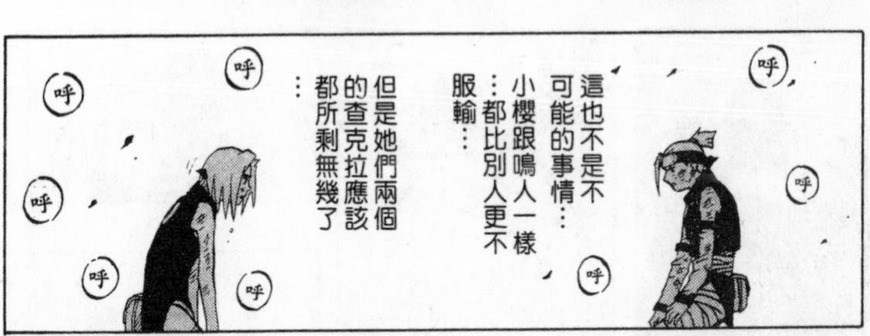
呼
這也不是不可能的事情…
小櫻跟鳴人一樣…都比別人更不服輸…
呼
呼
呼
但是她們兩個的查克拉應該都所剩無幾了…
呼
呼
呼
呼

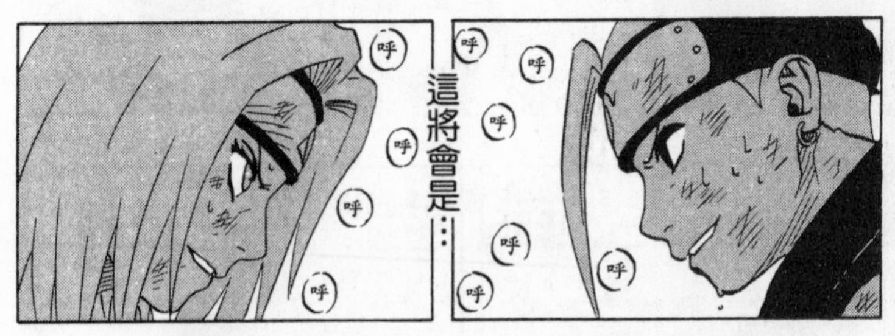
呼
呼
呼
呼
呼
呼
這將會是…
呼
呼
呼
呼
呼

ダッ
ダッ

最後一擊了！

ガッガッ

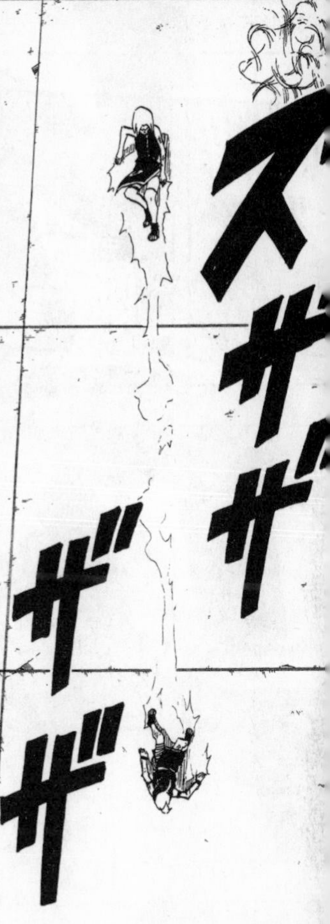
スザザ
ザザ

フラ
…可惡
フラ

啊！

ドサッドサッ

……

雙方都沒辦法繼續進行比賽…因此根據平手的結果…
我判定預選第四回合沒有人通過！
什麼——！

那麼……
真是的…

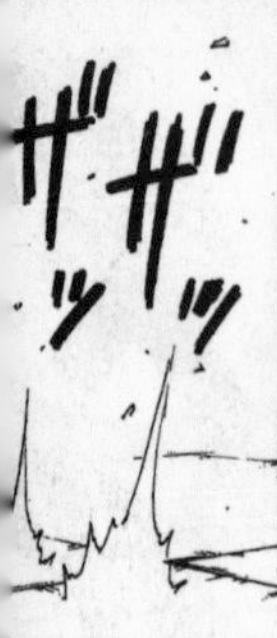
ザッ
ザッ

喂…！井野…！
小櫻！妳沒事吧——？

噓……

她們不需要醫療班的治療……
大概三十分鐘後，她們就會醒了…

不過…真令人吃驚呀…
對呀…
?

先撇開鳴人與佐助不談…連這個一點都不可靠的小櫻…
都有了這麼明顯的成長呢！

雖然發生了很多事情…

但是我打從心底認為……
能夠讓他們參加中忍考試…真是太好了！

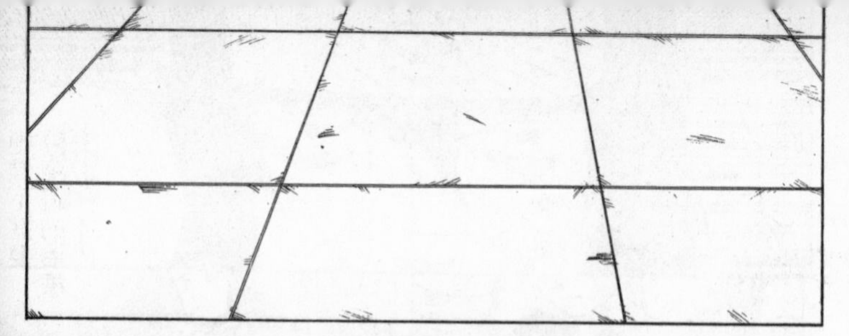

第五回合……

天天對手鞠！兩位請到前面來……

開始！

嗯…嗯…
…………

小櫻，妳終於醒啦……
！

顫抖
天天！使出青春的力量吧！
好──！繼續替她加油吧！
我們兩個的比賽…已經結束了……

我…
輸了嗎？

哼……
我才想哭呢……

沒想到我居然跟妳這種人…
打成了平手…

什麼？

拿去吧…
！

妳也已經綻放成……
一朵漂亮的花了嘛…
……！

………
井野…

グイ

但是下次我們交手的時候，我可不會只把妳打到昏倒而已！
……!!

還有…我也不打算把佐助讓給妳！
火大！
ピク

我就把這句話…完完整整的還給妳吧！

哼！
プイ
プイ

ザワッ

她居然完全封住了天天的武器攻擊…
這…這怎麼可能！

真是無趣呀……

〔岸本斉史的世界〕

生平事蹟⑧

因為小學的時候，我曾經打過壘球，因此上了國中之後，我就加入了棒球隊。我弟弟也和我一樣，於是我們雙胞胎兄弟便一起加入棒球隊了。

剛好在這個時候，有一部棒球動畫非常的流行。那是描述一對雙胞胎都是棒球隊隊員的故事…結果弟弟死亡，哥哥卻非常的活躍；這部對我來說，魅力就在於設定的非常理想的動畫就是「鄰家女孩」。

因為在青春期的時候會錯意，導致不得不用「鄰家女孩」來欺騙自己的我，對這部作品非常在意，因此我很高興的打算收集「鄰家女孩」的漫畫，結果弟弟說「棒球隊的人都要理光頭，而且我們兩個都很不會打棒球…你的想法好冷喔…笨蛋…」，讓我的熱情整個冷卻下來了。但是因為覺得他說得沒錯，所以我就開始看起「名門！第三棒球隊」這部漫畫了。我認為我必須改走熱血路線。

74
気楽
一般
普通
鹿
第六回合…
然後！

第五回合——
手鞠獲勝！
シャ
糟了！
タン
……
ザッ
ピク
！
タン
パシィ
ヴウン
ズザザザ

……

妳幹什麼！妳怎麼可以這樣對待一個認真地跟妳交戰的對手呢？
少囉唆…
快帶著那個廢物消失吧！
咚

接得好呀！

ピキ

!!
小李！住手！

木葉旋風！
！

!!

什麼？

你的動作果然也很遲鈍呢……
ニヤ

就跟你的外表一樣……
妳說什麼……？

ザッ
小李！快住手！

！
阿凱老師……！
……可惡

手鞠，快上來吧！
！
這場比賽已經宣佈由妳獲勝了……
妳就別再管那個喜歡保護同伴的笨男人了！

！
什麼？

小李，夠了吧！

プル
プル

……
唉……

！
拍！
砂之國的諸位…我想給你們一個忠告…

！
！

他很厲害喔……

你們最好有所覺悟！

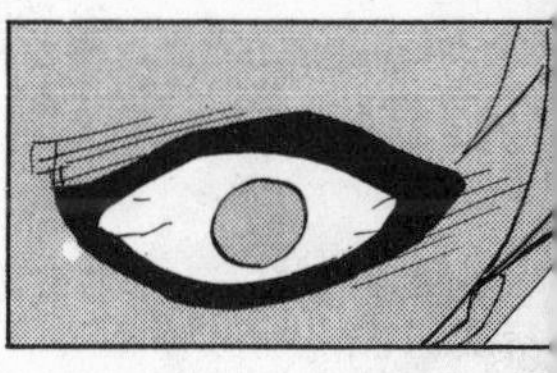

小櫻……妳已經沒事了嗎？
你還不如擔心一下你自己呢！
如果你在這裡敗給了其他人，就不配稱為一個男人囉！
到時候你就沒臉見佐助了！

我…我知道啦！

還有，謝謝你…你剛剛幫了我一個大忙呢…
！

如果沒有你那些聲援的傻話…
我可能就這麼敗給井野了…

這傢伙…
沒錯！妳說得對！

好！趕快…趕快輪到我吧！
我覺得…接下來會輪到我！

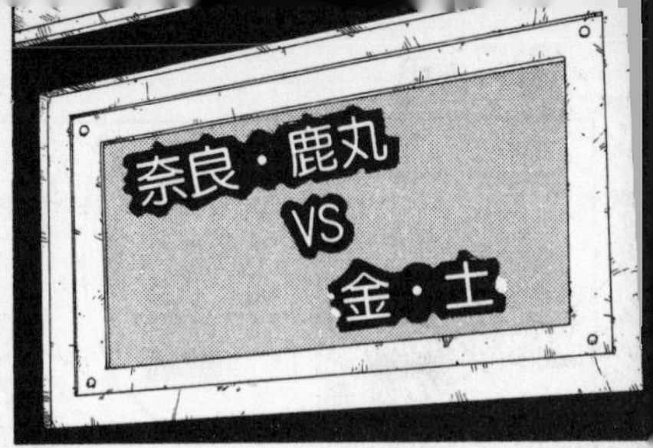

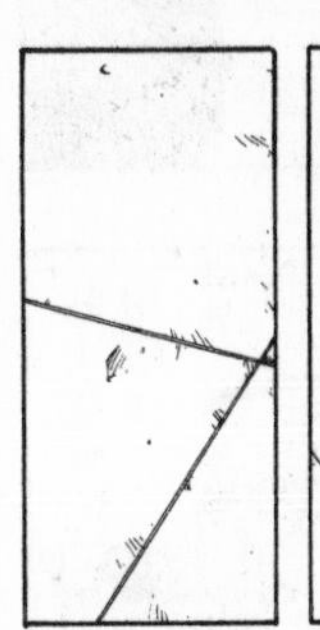

唉…麻煩死了…
我的對手居然是個女人，真不好下手呀…
那我馬上就讓這場比賽結束吧！
井野變得好有精神喔…
鹿丸！你可別輸了喔！

雖然我在第二場考試的時候，已經知道音之忍者的實力了…
但是我完全不知道她會用什麼樣的忍術…
我的忍術已經被她看過一次了……
但是我卻……

開始！
ボッ

只有這一招可以用…
忍法．影子模仿術！
バッ

你只會這一招呀…
ザッ
這種忍術…
ズズズ

落空
只要看清楚你的影子動作就沒什麼好怕的了！
ダッ
バシュ

！

鈴～
鈴～
カッ
カッ

ザッ
！

鈴～
鈴～

！
鈴鐺……
鈴～

妳竟然使用這麼古老的手段……
妳接下來會同時射出一枝繫有鈴鐺的千本與沒有鈴鐺的千本…
當敵人注意到鈴鐺的聲音而躲避的時候…
那枝沒有聲音的千本就會在敵人不察的狀況下刺中目標…我說得沒錯吧？

！
你真多嘴呀
ブン

我只要不讓她射出那枝沒有聲音的千本就行了…
既然知道她的目的…只要仔細注意就能躲過了！

鈴～
鈴～
!!

什麼…？在後面？
バッ

鈴～
鈴～
鈴～

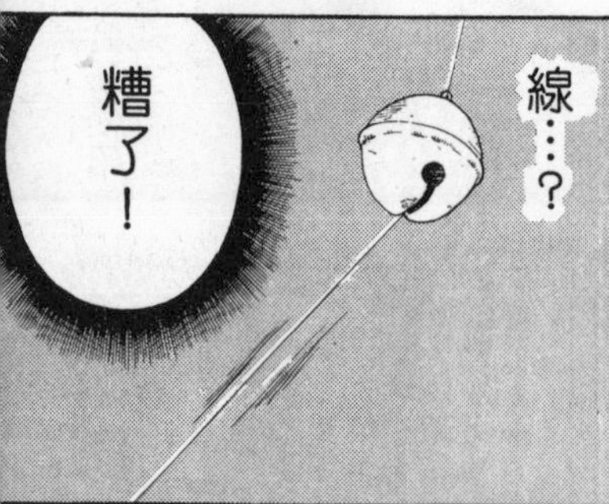
線…？
糟了！

拉！

可惡…她剛剛是用線拉響鈴鐺的…
她竟敢小看我！
バッ

太遲了！
!!

ドス
ドス

鹿丸——

我躲過你的影子了，你已經束手無策了吧？
這是最後一擊了…

ピク
!

!!
什麼？我的身體竟然…

嘿嘿……
影子模仿術終於成功了……
!!

……!?

你…你說什麼?
我…我沒看到你的影子呀…

妳還沒發現嗎?

!!
難…難道…!

妳猜對啦!笨蛋!
這些線在這種高度……
怎麼可能形成影子呢?

！

我能夠自由自在的讓我自己的影子伸長縮短…

ズズッ

雖然有個極限啦…

可惡…影子越來越粗了…

他利用我的盲點做出這個影子…

ズズ

這樣妳就只能模仿我的動作了！

スッ

スッ

可惡…

在雙方以飛鏢互刺的狀況下，妳能忍耐多久？

笨蛋……快住手！

可惡…

哇……！

哼…果然只是虛張聲勢而已…

ゴン
スコン!!

妳、我跟「後方牆壁」的距離差太多了嘛…

飛鏢只是為了讓妳疏於注意後方的牆壁…
那是被我用來分散妳的注意力的計謀！
奈良鹿丸獲勝！

鹿丸——！！
好耶——！！
你好帥喔——！

那傢伙雖然贏得很不顯眼…但剛剛倒還挺帥的呢…可惡！

嘿嘿…只剩下我囉……

還沒有參加比賽的人有一個音之忍者、我、雛田、鳴人、丁次、寧次跟小李…還有那個砂之忍者…
拜託啊！我可不想跟那個砂之忍者交手！

看來今年的新人都很值得交手，但是……

那麼…繼續進行下一回合的比賽…
漩渦・鳴人
VS
犬塚・牙

來啦！
來啦！
好耶——！

讓各位久等了！
終於輪到我出場了——！

75：
且慢
鳴人的
"成長…！

第七回合！

漩渦鳴人對犬塚牙！

……

哼…算了…這就當作我做的讓步好啦！
!!

……

哼…少逞強了……
…不然這樣吧！
赤丸，你不要出手，我自己上就夠了！
スッ
嗚～

鳴人——你不可以輸給這種人喔！
終於輪到他了……

鳴人嗎…
卡卡西，抱歉啦…他是打不過牙的…

我…我想替鳴人加油耶…
但是我跟牙屬於同一個小組…牙可能會罵我…
但是…

哼…雖然我不知道他成為下忍之後變得有多強…
今天的考試是「變身術」，請各位變成火影大人吧…
ボ
變身
但是他從以前就是「那個」了…
哇哈哈哈哈哈哈哈哈！
……嗯！
唉…
……
……

ボン
哈哈哈哈！
剛剛那是開玩笑啦！我是故意的！
真是的…他是誰呀…
吵死人了…
我睡得正舒服呢…
夠了——！
鳴人！這是你唸忍者學校的第三年了耶！
你再給我從頭唸一次！
驚嚇！
ガミ
ガミ
啊……
哈哈哈…剛換班級就碰到有趣的事情了…
他搞笑的功力不錯呢…馬上就會裝傻了…
哼…
變身！
唰！

フゥ
ン
しーん
難道……
你——……
……
……
ボン
……
嘻嘻！這是真的嗎？他已經唸三年了……
居然連變身術都沒辦法成功的使出來？
好遜喔！

算是我同情你啦…
我會漂亮的一拳打倒你！
スッ

哼──！是嗎？
那我也一樣！
スッ

……我不是叫你不要逞強了嗎？
汪！

那麼…
ゴホッ
請開始吧！

擬獸忍法
バッ
四腳之術！
ザザッ
我要上囉…
グッ
ガッ
！
好快…

ドッ
カ
唰！

ザッ
主考官，他暫時不會醒過來囉！

果然沒錯！
那個鳴人怎麼可能敵得過牙呢——？

鳴人……你真的太遜了……
……

你看吧…

什麼嘛…他好弱喔…！

鳴…鳴人！

……

ニコ

ニコ
……

就是這樣沒錯……
超越火影！
我要讓全村的人都認同我的存在！

我一直不把他說的這句話當真……。

我認為他只是在虛張聲勢而已……
!!!

膽小鬼。

你只要…
變得比我強就行啦！
!!

但是…
ムク

你別開玩笑了！

膽小鬼…
呼
呼

喝啊啊啊啊！

我一直都是有話直說…
這就是我的忍道！

我也想跟你交手…
……!!

你們都搞錯了！

！
什麼？

…鳴人…

說給大家聽吧…！
……

你可別……

小看我啊！

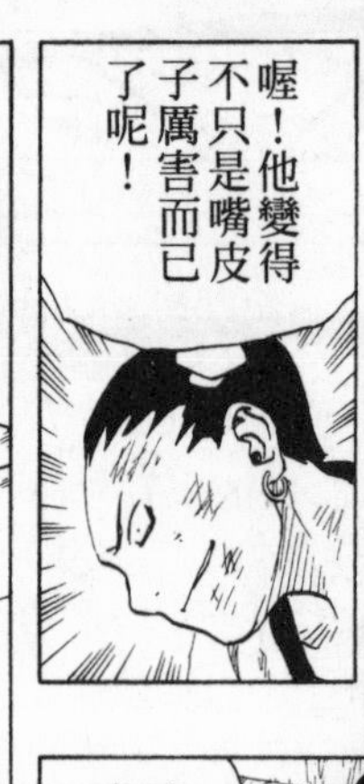

我是裝個樣子而已啦！
這是為了看看你的實力！

！
ピクッ

你才別逞強呢！你要用狗或什麼都沒關係！儘管用吧！

……
你可別後悔啊！

上吧！赤丸！
汪！
ザッ
摸索摸索

唰！

！
煙霧彈！

ボフーーン

可惡…

!!

汪！

他中計了！

咬住！

可惡！

!!

哇啊！

噠！

ザッ

汪！

スゥ…

呀呼——成功了！
太好了！
汪！
ダッ

赤丸，幹得好…

!!

ガブリ
!?

你中計啦！吼～～
這是變身術！你這個混蛋！
可惡！我太大意了！
赤丸在哪裡？
！
……好噁……！
你身上有狗臭味耶！呸！呸！
牠在這裡啦！
嗚～～
晃～
赤丸！

那個鳴人居然把影分身術應用在變身術上…他不可能會這種聰明呀…
怎麼可能…那真的是鳴人嗎？他居然跟牙打成平手…不！他比牙更厲害！

使用忍術的時機掌握得不錯呢…
他比我想像的還厲害…

不過…他居然在咬住對方後還發飆…真是個有趣的傢伙…

他在這場考試中又成長了…

呵呵呵…真令人跌破眼鏡呀……

你變得比較厲害一點囉…
但是比賽要結束了，接下來我會認真的跟你打！

呼
哼——！是嗎？
那我也一樣…！
呼

〔岸本斉史的世界〕

生平事蹟⑨

我的國中生活就是打棒球，暑假的時候要去參加集訓。球隊的傳統是所有棒球隊的人都要到以橄欖與猴子聞名的小豆島進行集訓，而球隊規定大家要穿白色襯衫與黑色的學生褲去。

棒球隊成員大約有四十五人，我們租了一台遊覽車盛大的出發了。

總之…通常在有苦有樂的集訓結束之後，都會要每個人都去爬觀光勝地・猿山來替集訓做個結尾。

我記得…那是二年級的事情，我引發了一件在之前的集訓中從來沒有碰到的事情！我實在是不想去回想那件一個不小心就有可能會有人喪命的事，但是…因為現在我沒有什麼東西可以寫，所以就寫一寫吧！那是發生在…（待續）

76：牙逆轉！鳴人逆轉？

鳴…鳴人——你…

你很行嘛——！鳴人！

那真的是萬年吊車尾的鳴人嗎……？

卡卡西那傢伙…到底用了什麼方法呀…？

但是…
我帶出來的牙與赤丸，搞不好成長得比他還多喔！
鳴人！我就毫不客氣的上囉！
ピン
あーん
!?
咕嚕
!
吼~~
ザワザワ
吼~~
ザワ
吼——
哇！

牠的毛變成紅色了…？
怎…怎麼會這樣！你讓牠吃了什麼東西？

是軍糧丸嗎？

所以牠的名字才叫赤丸呀！
咕嚕

牙那傢伙……打算用這招結束這回合的比賽……

上吧！赤丸！
啪！

汪!汪!
（擬人忍法）
擬獸忍法
!
!!
獸人分身!!!

吼~~!

他們的眼神好可怕喔…他居然用那種奇怪的藥!

他是不是使用了興奮劑呀?這樣可以嗎?

鳴人的處境危險了…

讓查克拉充滿體內,能夠像野獸一樣活動的戰鬥形態…

對牙來說,是再適合不過的藥丸了!

我要上囉！
四腳之術！
！
タン タン

可惡…

不好了…

即使把全身的查克拉集中在腳上也只能躲過他的攻擊，再這樣下去…

哇…！

！

有機可趁！

!!

接招吧！獸人體術奧義！

ダッ
ダッ
グルルル
哇啊啊啊啊！
ガガガガッ
牙通牙!!!
!
!
!
!
!

ザッ
這就是實力的差別啦！
ドサッ

ビクッ
嗚喔！

……

我要…
成為火影…
我不能…在這裡…
ピク

你想成為火影？
比我還要弱的你想成為火影？
其實你早就知道自己沒辦法成為火影了！你就別逞強啦！
嘿嘿……火影……就讓我來當吧！

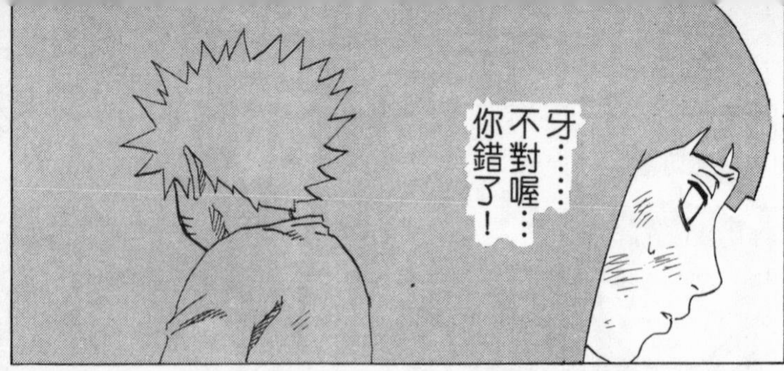

但是以前卻沒有一個人願意去注意那樣的鳴人……

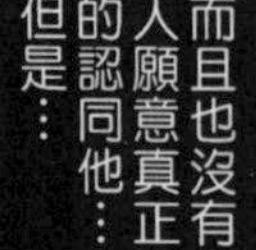

現在大家都在注意他……

而且也認同他了！

如果你想跟我搶火影的名號……

那麼你……

會變成喪家之犬喔！

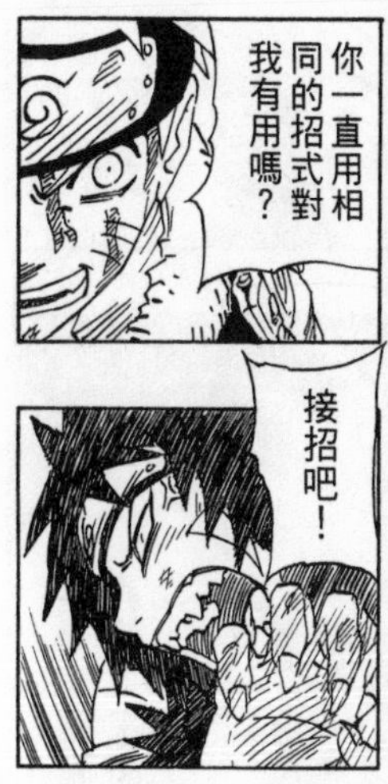

哇！

サッ

ガッ

雖然這一招剛剛就見識過了……

但也不是每次都能躲過呀！

我該怎麼辦……

還沒結束呢！

ズザザ

變身！
ボン

我贏定了……！

！！

ザッ
！！

原來如此……

什麼？
你們仔細看看吧…

……
啊！

原來如此…鳴人，虧你想得到這招呀！

真正的牙

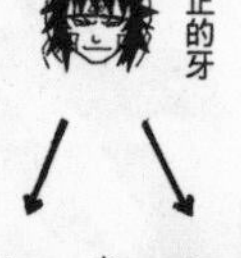

鳴人變成的牙
赤丸變成的牙
可以攻擊
不能攻擊
他只要變成牙，那麼真正的牙就不知道哪一個是赤丸、哪一個是鳴人，就不能輕易出手攻擊了…

赤丸變成的牙
鳴人變成的牙
真正的牙
可以攻擊
不能攻擊
赤丸也一樣…因為牠不知道哪個是主人、哪個是鳴人，所以也沒辦法攻擊。

鳴人變成的牙
赤丸變成的牙
真正的牙
可以攻擊
可以攻擊
但是對鳴人來說，雙方都是他的敵人…可以毫不猶豫的攻擊！

他讓他們出現了一瞬間的破綻…
真厲害呀！

原來他用這個方法呀…但是…
我給你一個忠告…

我之前一時大意，所以發現得比較晚…

但是變身術對我已經沒用了！

你知道為什麼嗎？
！

ドカッ

呀呼——!

哇啊!

牙擁有把查克拉集中在鼻子上，讓嗅覺變成常人的數萬倍的能力…
所以他當然能夠靠味道來分辨人物囉…

可惡…
嘿嘿…我贏啦！

ボン

!
!!
什……什麼？

赤丸!!

77：鳴人的妙計！

這到底是怎麼一回事？

牙的鼻子居然分辨不出鳴人跟赤丸……

可惡……！這到底是怎麼一回事……？

！

那你就是鳴人囉！居然敢看扁我！

哇啊！

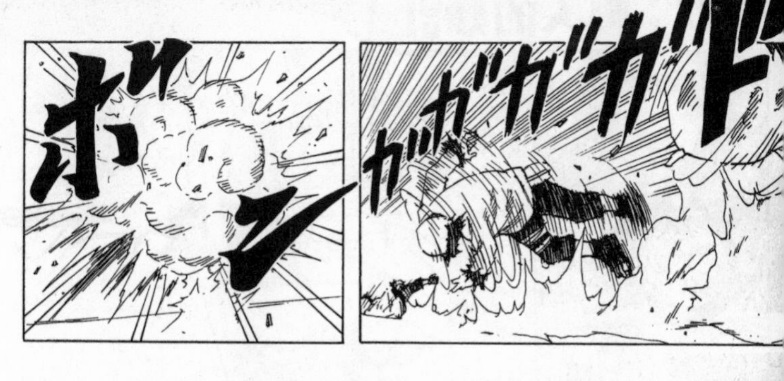

77：鳴人的妙計！

!!
什麼?

!!?

嘻嘻…這可是以前喜歡惡作劇的他才會想到的方法呢…

被擺了一道!

ボン
!!

ムク

什麼？

去死吧！

!!

我懂了！當牙靠嗅覺識破，並且打他的時候，他就在那一瞬間變身成赤丸了！

被打中了！

碰！

就是現在！變身！

鳴人變成的牙

牙

赤丸變成的牙

馬上變身成赤丸

碰

!

鳴人變成的赤丸

!?

咦？這個是赤丸？

牙

赤丸變成的牙

這是為了讓牙認為他打的是赤丸，而且還認為牠解開了擬人變化！

可惡的傢伙……
嘿嘿…

你要先考慮清楚再使用忍術呀！
就是因為這樣，你的忍術才會被我反過來利用啦！笨蛋！

……！

哈哈…

跟他鬥嘴只會浪費時間！
…我不能被鳴人牽著鼻子走！冷靜…我要冷靜！
咬！
流～

呼…

摸索
……其實他根本就跟不上我的動作……
我還是擁有絕對的優勢！
喀擦
ザッ

我只要仔細觀察他的動作，抓住他的破綻……
就可以用四腳之術繞到他的背後了！
ザッ

……我不用急……
只要保持冷靜，就一定打得贏這場比賽！

看來敵人變得比較冷靜囉……
鳴人……你打算怎麼做呢？

嘿嘿……牙，你終於認真起來啦！

那麼我就用我特地想出來的新絕招……
スッ
來跟你分出勝負吧！

……！
什麼？
新絕招？
？
沒想到他還隱藏著新絕招呀？真厲害！
咦？
他是什麼時候……
雖然我不知道那是什麼絕招…
我只要不讓你使出來就行啦！
！
パシュ
パシュ
パシュ
パシュ
パシュ
パシュ
パシュ

可惡……
就是現在！擬獸忍法……
四腳之術！
喝啊啊啊！
太遲了！
！
接招吧──！
！！

ㄅㄨ～

啊！

!!

哇啊啊啊啊啊——！

不過…那個屁是偶然放出來的吧……
真不愧是最讓人意外的忍者呀……

フラ…
可惡…

鳴人！現在就是好機會呀！
！
フラ…

可惡！我太用力了……
但是接下來就輪到我使出新絕招了！

影分身術！
好——！

我要把你之前對我做的事情加倍奉還！
！

漩！
咚
渦！
鳴！
人！

連彈！

新絕招啊……
剛才佐助用過這招嘛……
連絕招的名字都是抄襲的……

……我真的已經……

變強了……！

グッ

哇哈哈哈！輕鬆獲勝！輕鬆獲勝！
タク
タク
ドキ

…我…我該怎麼辦……
ドキ
ドキ

ドキ
ドキ

…鳴…鳴人……
！

遞出
？

……雛田…！

咦……這是什麼？
是塗抹用的藥膏。
為什麼要給我…？

……
鳴人，你就收下吧…

嗯……好吧！
謝啦！雛田，妳真是個好人呀！

牙，你不必感到丟臉…這孩子確實是個強勁的對手。

哼…妳還這麼輕鬆呀…
……雛田……

〔岸本斉史的世界〕

生平事蹟⑩

那個事件…是在集訓結束之後，四十五個棒球隊隊員跑去最後的觀光勝地．猿山爬山時所發生的。

我先把事情按照順序說明一下，在登山的途中，我們看到看板上寫著「請絕對不要與野猴四目相對，此舉非常危險」，然後在「哇！猴子近看就變得好可怕喔！只是瞪牠們，牠們就會生氣啊！好可怕喔！還長牙齒耶！」在這種懼怕猴子的狀況下，大家在短短兩百公尺的登山道中，被一大群野猴瞪著爬上山頂。就在這個時候，在山頂上被飼育人員飼育的大約一百頭猴子出來迎接我們了。飼育人員說這些飼育猴跟野猴不一樣，牠們的個性溫厚，喜歡黏人，是一群可愛的猴子。而飼育人員也說牠們好像會組成一個獨立的社會，會有一隻猴王站在那個社會的頂點，飼育人員指著一隻猴子，跟我們說「那隻猴子就是這個集團的猴王」。

那隻猴子真不愧是猴王，牠非常的高大，身上有好幾個傷痕，讓人不禁連想到那是在牠當上猴王的過程中，身經百戰所留下的傷痕。我仰望著坐在岩石上的猴王，非常恐懼的慢慢接近牠。**就在這個時候，事情就發生了！**（待續）

78
寧次與雛田
NARUTO
叫
喚
烤雞肉串

シュウウウ
塗～塗～

這個藥膏…
很有效呢！

小櫻，妳要不要用？
?
拿去吧？
只有你的傷會好得這麼快啦…鳴人……
九尾的力量還是這麼驚人呀……

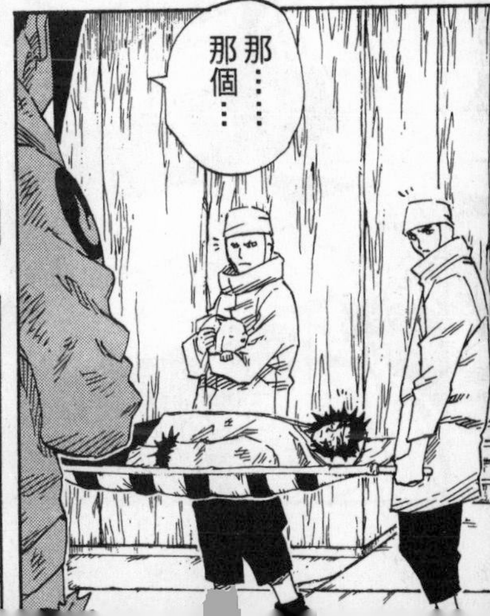
那……那個……

這是外傷藥膏…
要給牙跟赤丸的…

唉…與其擔心我，妳還不如擔心自己！

現在只剩下妳、丁次、寧次、小李、一個音之忍者還有那個砂之忍者共六個人…
雛田，妳聽好了…
……？

如果妳要跟那個砂之忍者戰鬥，就馬上棄權！

還有另外一個人…

如果要跟寧次戰鬥的話，也馬上棄權吧！
……
他對妳很嚴酷…
妳會被他打得滿身是傷的！

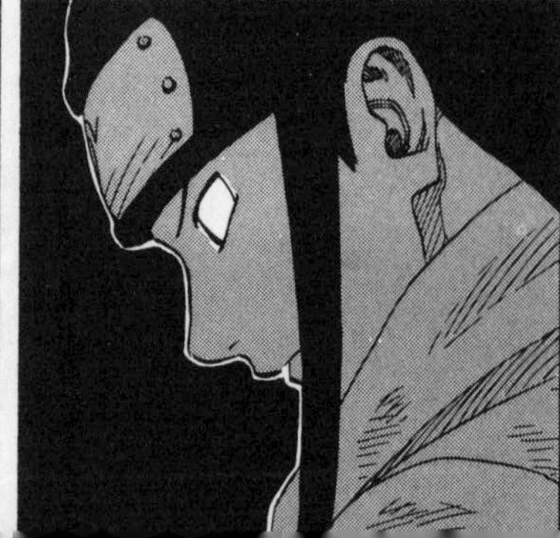

現在公佈下一回合的名單！
咳…

日向・雛田
VS
日向・寧次

可惡…

雛田……

這個對戰組合真是有趣啊…

……

沒想到我居然要跟妳交手啊……
雛田…

……
寧次哥哥……

什麼？
他們是兄妹嗎？

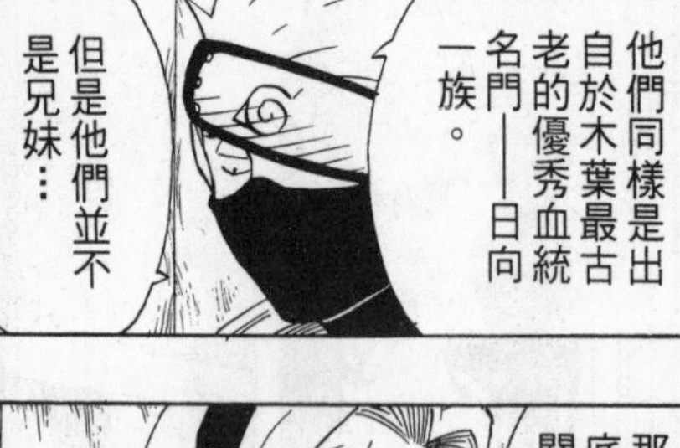

他們同樣是出自於木葉最古老的優秀血統名門——日向一族。
但是他們並不是兄妹…

那他們到底是什麼關係呀？

嗯…應該說是日向家的「宗家」……
與「分家」的關係吧…

…宗家與分家？

是的！雛田小姐是日向流宗家（正宗派系）的人。
而寧次則是日向家分家（分支）的人。
宗家
分家

也就是說這是一場親戚的戰鬥囉！這樣就不容易出手攻擊對方了…
嗯，不過…
怎麼了？

宗家與分家自古以來似乎就有些嫌隙，
現在兩個家族之間的感情並不是很好…

這樣啊～～
為什麼會這樣呢？
我也不知道詳情，只不過……

這是那種自古流傳下來的家族常有的事情。
因此讓分家的人覺得自己很沒面子。
聽說日向家的第一代為了保護家族與血統，訂立了一些對宗家有利的條件為家族的守則…

……

所以這就是所謂的因緣對決囉…

那麼…開始進行比賽！
咳…

ジリ

在我們開始交手之前…
我有一件事情想忠告雛田…
……？

妳不適合當一個忍者…
趕快棄權吧！

…！

妳的心地太善良了……
妳希望一切和平，避免任何爭端…
而且對迎合別人的想法這件事不會感到討厭。

………

妳對自己沒有自信…
經常會有自卑感…所以…
我認為妳只要當個下忍就夠了。

但是中忍考試必須要三人組成一隊才能登記報考…

所以事實上妳是因為無法拒絕同組的牙的協定，而在心不甘情不願的狀況下參加了這次的考試…
我有沒有說錯…？

…不…不是…不是啦…
……我…
我只是想……

我只是想靠自己的力量來改變…
這樣的自己……

……雛田……
花火！快站起來！
呼
呼
呼
呼
雛田即將要編入我的麾下了…
但是您真的覺得這樣好嗎？
雛田應該是日向宗家的繼承人呀…
下忍的工作，經常都是與死亡為伍的！
隨便妳吧！
我們日向家根本就不需要她！
她是個能力甚至比不上這個小她五歲的花火的廢物…
グッ
呼
呼
呼
妳話說完了嗎？那就快走吧！不要在這裡礙事！
是…
ズッ

……雛田想靠自己的力量改變自己……

人是絕對沒有辦法改變的！

雛田，妳果然是宗家的大小姐呀…
咦？

吊車尾的人永遠都是吊車尾…
一個人的個性與力量是不會有所改變的！
那個混蛋！

人因為沒有辦法改變，所以才會產生差別…
也因此產生了菁英與吊車尾這一類的形容詞呀！

我們會從長相、腦筋、能力、體型以及個性去判斷一個人的價值，
同時也會被別人這樣判斷自己…
有了這些不能改變的要素，人們才會對別人所有分別…
並且會感受到與自己身分相稱的痛苦。

這就像是我屬於分家……
而妳是屬於宗家這種不會改變的事實一樣…

火大～

不…不是啦！我是真的……

白眼…？

如果要追溯宇智波一族的源流，就會追溯到日向一族。

「白眼」是日向家代代相傳的一種血繼限界。

是個類似寫輪眼的瞳術…

但是如果只論洞察眼的話…

那是凌駕於寫輪眼之上的東西。

スッ

什麼事都瞞不過我的眼睛…
…！

妳剛才感到我給妳的壓力之後…
視線就往左上方飄……

這就表示妳想起了過去的經驗……
也就是妳那痛苦的過去……

然後妳的視線馬上飄到右下方…
這就表示妳想到了肉體上與精神上的痛苦……

也就是說妳根據自己的經驗以及從前的自己…
來想像這場比賽的結果……

也就是說妳在想像……
妳會戰敗！

還有——妳把雙手放在胸前的這個動作…
ビクッ
就表示妳心裡想在妳我之間築一道牆來保持距離…
也就是說妳不希望我繼續窺探妳的真心。

因為妳心裡想的事情全都被我說中了。
呼
呼

而且……

觸摸嘴唇這動作是表示自己內心動搖的一個自我親密行為…
這就表示妳正在進行緩和自己的緊張與不安的防衛本能。
呼
呼
呼

咬牙~

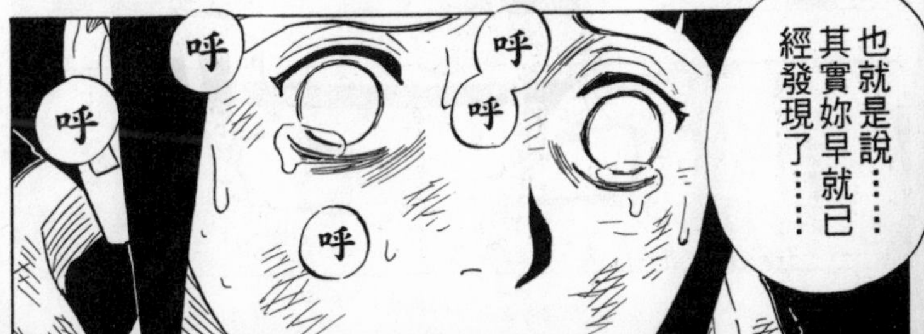
也就是說……其實妳早就已經發現了……
呼
呼
呼
呼
呼

「我絕對沒有辦法改變自己…」
妳做得到啦！
！

!!

……

混蛋——！你不要隨便認定別人在想什麼啦！
雛田！快幹掉這種人！

……
鳴人……

79：日向一族

……
鳴人……

雛田！妳回嘴罵他呀！
我看得很火大耶！

……

…………
鳴人……

真是個囉唆的傢伙…

謝謝你……

……
她的眼神改變了…
妳不打算棄權囉？
那妳會變成什麼樣子，我可不管！

ピキキ
ピキキ

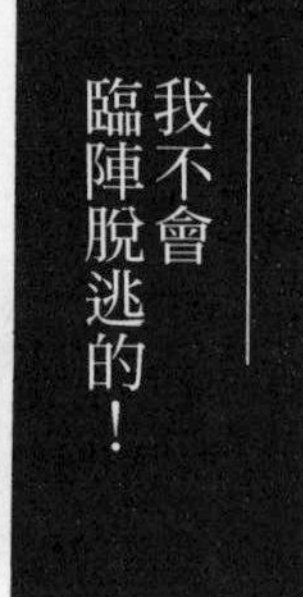
我不會臨陣脫逃的！

我一直都是有話直說…
這就是我的忍道！

我已經…

不想再逃避了！
白眼!!

!

……

寧次哥哥……
スウ…
一決勝負吧！

!
那不是…

……

啪
スゥ…
好吧……

……

她果然同樣是日向流出身的…架式跟寧次一模一樣…
……日向流？

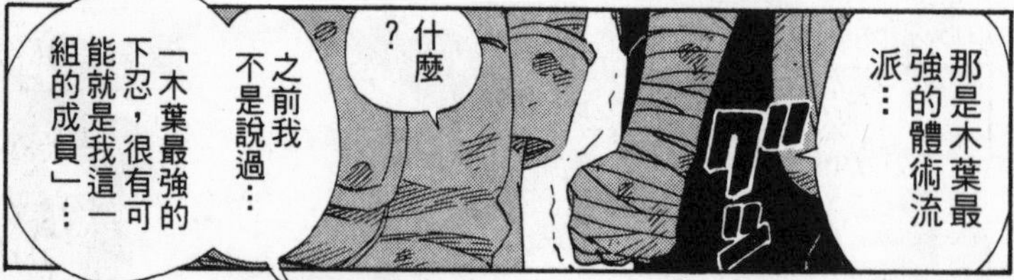
那是木葉最強的體術流派…
グッ
什麼？
之前我不是說過…
「木葉最強的下忍，很有可能就是我這一組的成員」…

我說的那個人，就是指…
ドクン
……日向寧次！

ガッ
ガッ

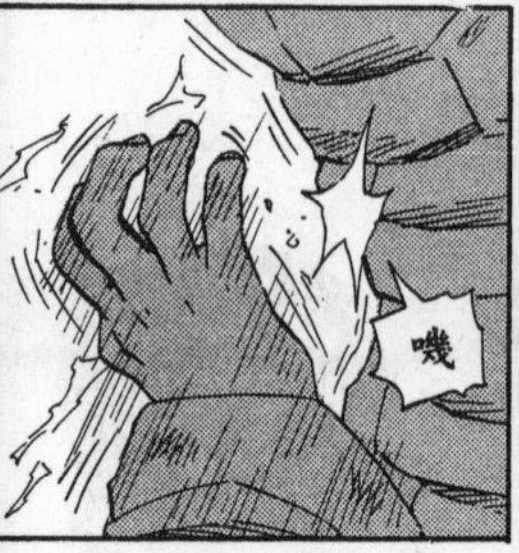
嘰

就是這裡！

嗚…

打中了？
沒有…！
那一拳攻得
太淺了！

我跟小李擅長使用的體術，是讓對手受到骨折或外傷，

也就是讓對手受到表面傷害，以攻擊為主體戰鬥方式的「剛拳」…

而日向一族則是傷害敵人體內幫助查克拉流動的「經絡系統」，

以及造成內臟受損…這和剛拳相反，是傷害內面的「柔拳」…

！

啪！

……我也可以

……
雛田佔上風……

雛田……

好耶——
雛田——！

居然能攻擊「經絡系統」……
他們到底是何方神聖？

對了！對了！
「經絡系統」到底是什麼東西呀？
！
又問白痴問題了……
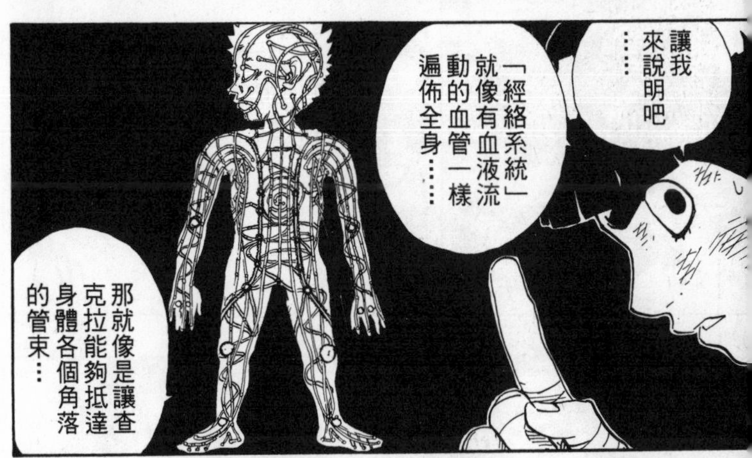
讓我來說明吧……
「經絡系統」就像有血液流動的血管一樣遍佈全身……
那就像是讓查克拉能夠抵達身體各個角落的管束…

喔…那就等於是查克拉的通道囉？
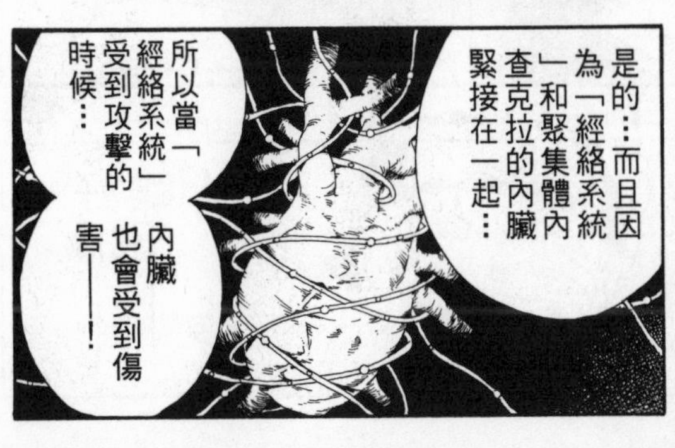
是的…而且因為「經絡系統」和聚集體內查克拉的內臟緊接在一起…
所以當「經絡系統」受到攻擊的時候…
內臟也會受到傷害——！

哇！你很了解這種東西呢…

咦？

你怎麼這樣對算是我們學長的人講話呢！
碰！
好痛！

這也是沒辦法的…對小李來說——
他最大的死對頭，就是寧次呀…

可是…他們為什麼可以這麼打呢？

因為「經絡系統」這種東西是肉眼看不到的…
那他們要怎麼攻擊對方體內的經絡呢？

不…

呼
呼
他們兩個人的眼睛是白眼，看得到那個東西…
呼

而且柔拳的攻擊跟普通的攻擊有點不同……

是藉由手上的查克拉穴將自己的查克拉打入對方體內……
來直接對敵人的「經絡系統」造成傷害。

好耶！

……!!

打中了嗎…？

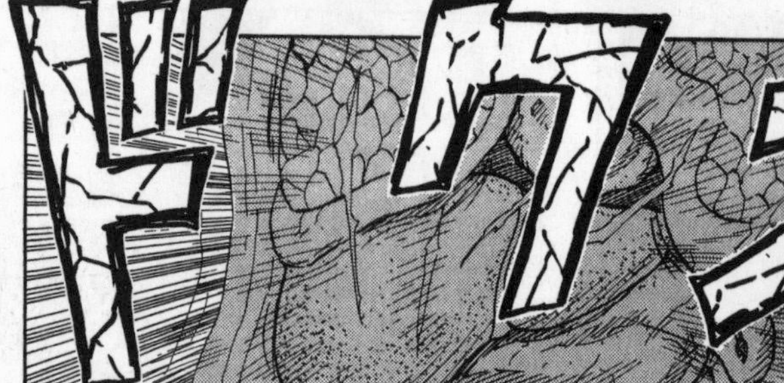

ゴホッ!!
※咳!

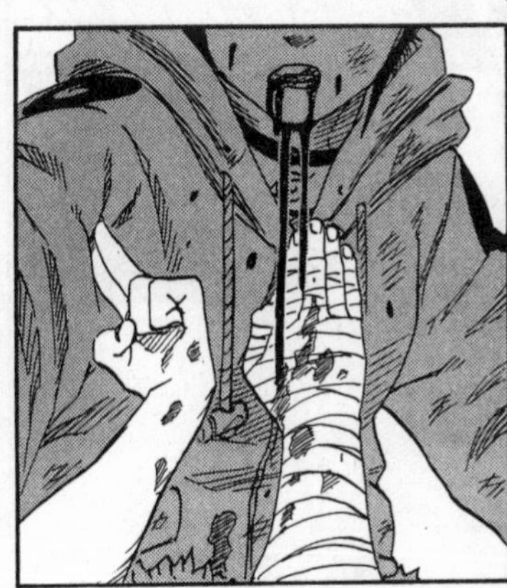

宗家的力量……
只有這種程度而已啊!

!

怎……怎麼會這樣?
雛田的攻擊不是已經完全擊中他了嗎?

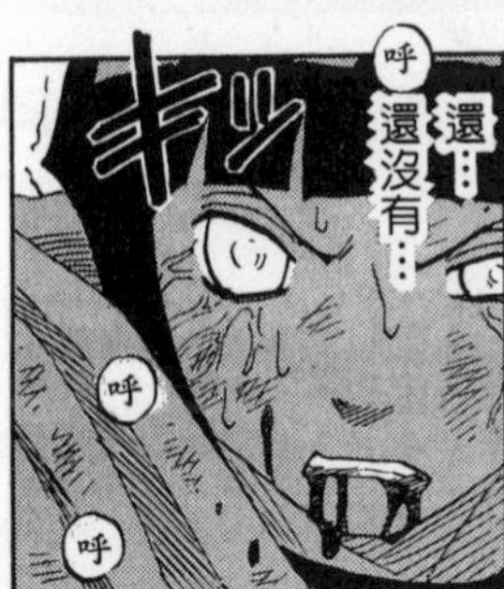
キッ
呼
還……還沒有……
呼
呼

喝！
咻！

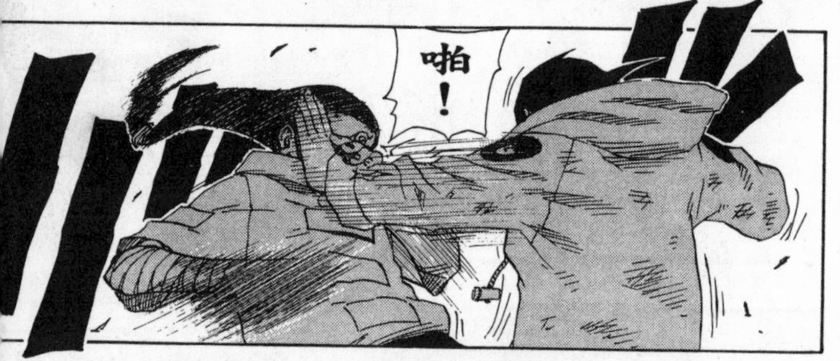
啪！

！

……

這傢伙太厲害了吧……

難…難道…

呵呵…
真不愧是號稱日向家第一個天才的人呀……

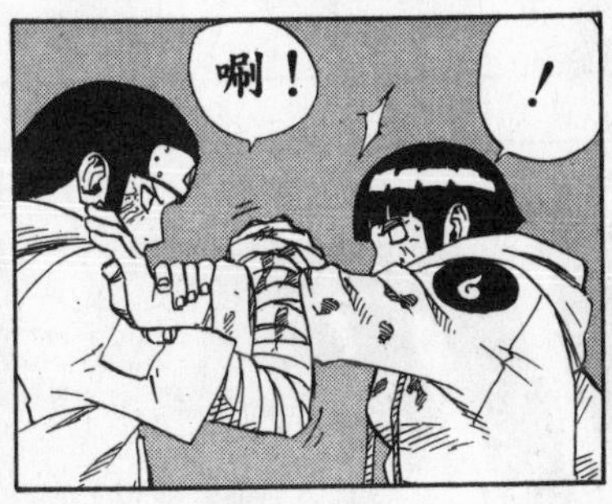
!
唰!

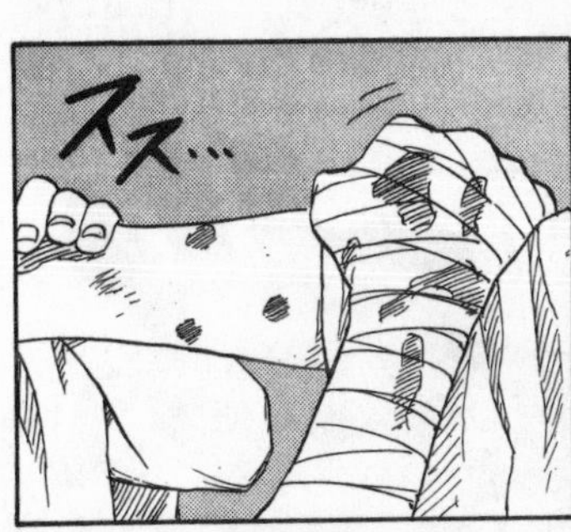
スス…

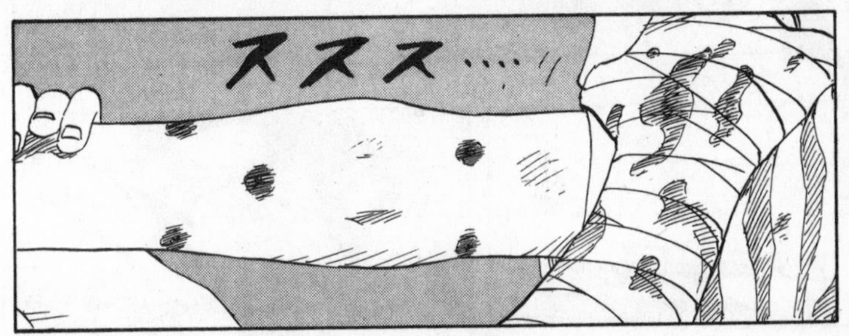
ススス……

!!
難…難道…
這麼說…你一開始就……

在剛剛說的經絡系統上，有361個查克拉穴的穴道…

這些穴都像針孔那麼大……

所謂的「點穴」…理論上就是…如果點對了穴道…

就可以隨心所欲地控制對方，讓對方的查克拉停止流動或增幅…

哇啊！

ズザザザ
！
！

雛田小姐…這就是無法改變的力量差別…
這就是區分菁英與吊車尾的差距！

這就是沒有辦法改變的現實…
呼
呼

當妳說「不想逃避」的時候，妳已經後悔了…
現在妳應該感到絕望了…
呼
呼

………
呼
呼
呼

……棄權吧！

…我…
ポタタ

我…我一直…
都是……有話直說…

…！

……雛田…

這…這也是我的忍道…！
呼
呼

生平事蹟⑪

沒想到…因為我仰望著猴王，所以根本就沒有注意到我的腳！我居然踩到了一隻小猴子…

那隻小猴子大叫著「吱吱吱～」逃走了。就在這個時候，我感覺到有東西抓住了我的背！往後一看，竟然是那隻小猴子的**母親**（應該是吧）！牠好像在說「我要咬你！」似的，把牙齒伸出來準備咬我…我心中只想到「我要被吃掉了！」，所以我奮力的想甩掉那隻母猴。沒想到我一不小心就摔倒了！當我想立刻站起來而抬頭往上看的時候，那隻猴王就帶著可怕的表情從岩石上跳下來攻擊我了！那隻猴子就像變成超級賽亞人的妖怪猴子一樣！那時候想到「我真的會被殺！」的我，雖然很想站起來，但是卻嚇到腳軟，所以根本就站不起來！當我以為「完蛋了！」的瞬間，飼育人員把猴王撲倒在地，並且抓住了猴王。但當我以為「我得救了…」那個瞬間，飼育人員臉上也帶著不輸給猴王的表情，大喊著**「快逃啊！」**。在我張望四周的時候，突然發現有一大群猴子衝過來攻擊我了！我一邊哭著，一邊大喊著「猴子的個性根本就不溫厚，而且也不會黏人嘛！」然後到處逃竄。就在這個時候，我看到了一個令人難以置信的光景！沒…沒想到…所有的棒球隊員都被猴子攻擊了！哇啊啊啊！救命啊！那是個很可怕的畫面…當時那裡還有許多其他觀光客，但牠們為什麼只攻擊棒球隊的人呢？雖然我這麼想，但是卻馬上就了解牠們這麼做的理由了。猴子們大概只想到「髮型非常奇怪的黑白集團來進攻了！」…總之，大家後來就馬上逃出猿山了！

大家在遊覽車上都氣喘吁吁的，並且都在說「猴子突然攻擊我們了！」「怎麼會這樣呢？」。這時候，我覺得因為我踩到小猴子導致猴子與棒球隊爆發了大戰這件事情蠻有趣的，所以就老實跟大家說了。我本來以為大家會笑的，但是大家根本就沒有笑…。（這是真實故事。）

80：超越極限…

呼
呼
呼

呼
呼
呼

沒想到雛田她……
居然是個這麼厲害的人……
她跟你很像呢……

我記得她…一直都在注意你呢！
什麼？

……

呼
呼
呼

來呀…

!
咳!

抖…
抖…
抖…
ボタタタタ

!!

那孩子已經到達極限了……
如果她再遭受攻擊的話……

寧次的「點穴」攻擊，已經讓雛田的查克拉完全停止流動…

身體

正常的柔拳

查克拉

被點穴後的情況

身體

也就是說，她無法使出把查克拉打進敵人體內的「柔拳」了…

這場比賽已經有結果了…

ぞ

ギロ

好…好可怕的眼神…
雛田她…不會被殺吧…難道…

我覺得他的強悍…會讓人感到違反常理呢…
他真的太厲害了……

嗯……可惡…

雛田！加油啊——！

這幾年來……我一直都在注意你——！

為什麼呢……

可是我辦得到！所以我很厲害啦！

雖然我不知道為什麼⋯
但是只要我看著鳴人⋯

我不會輸給你們的！
⋯⋯我就覺得勇氣會漸漸湧出來⋯

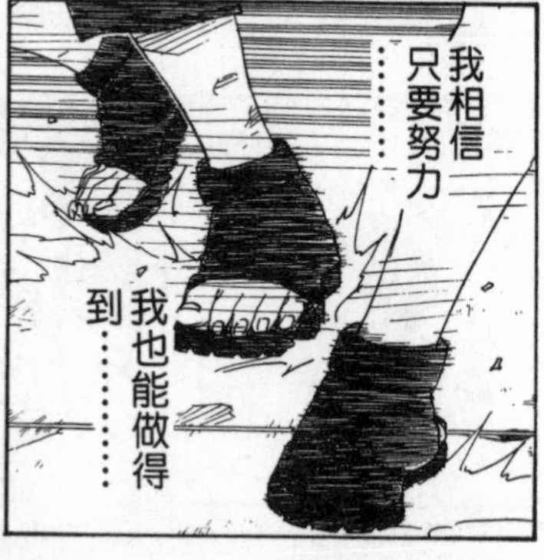
我相信⋯⋯只要努力
我也能做得到⋯⋯

我會覺得我自己也有⋯⋯
存在的價值！

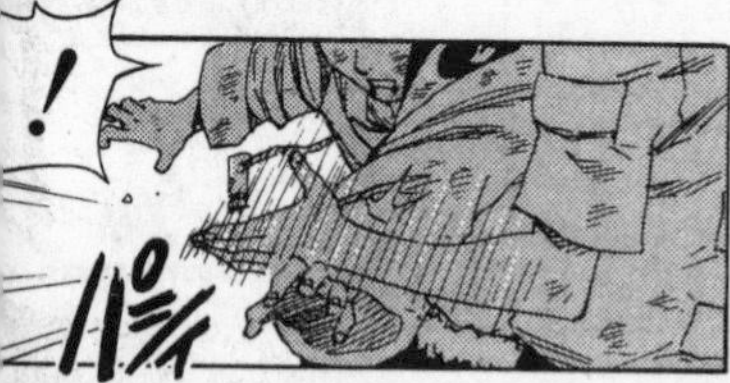
！
パシィ

!!
グラ
スッ

嗚！
カッ

!!
啊！

グラッ
ザッ

！

咳！
咳！
呼
呼

…雛田…

平常有輕易放棄這種壞習慣的妳…
是從什麼時候開始想改變自己的呢…
呼
呼
呼

雛田，我們回去吧——！
……我非常了解妳很拚命的修行，想讓自己變得更強…
呼
呼
呼
バシィ!!

但是…執行任務時卻老是失敗…
妳害怕正式上場…非常容易沮喪…

但是，今天的雛田完全不一樣…
那孩子的……

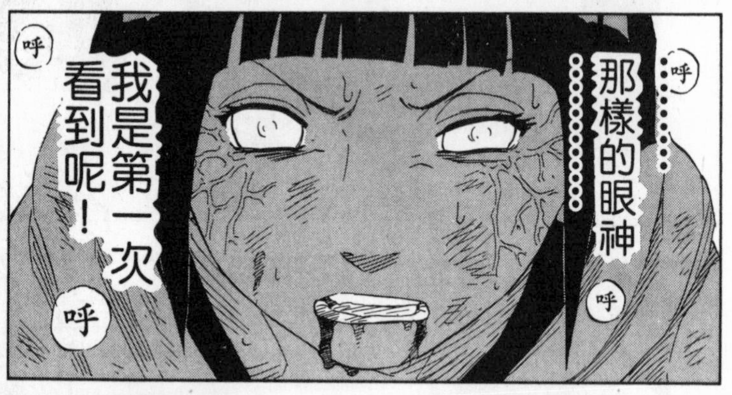
呼
那樣的眼神…………
呼
我是第一次看到呢！
呼
呼

鳴人……！
以前……我只能一直看著你……
但是，現在終於…我現在終於…

!!

ドッ

寧次這致命的一擊瞄準了心臟……

真可憐…她已經沒辦法站起來了…

我認為這回合的比賽無法繼續進…

不要阻止比賽的進行！

笨蛋！你在說什麼呀？她已經到達極限，而且失去意識了！

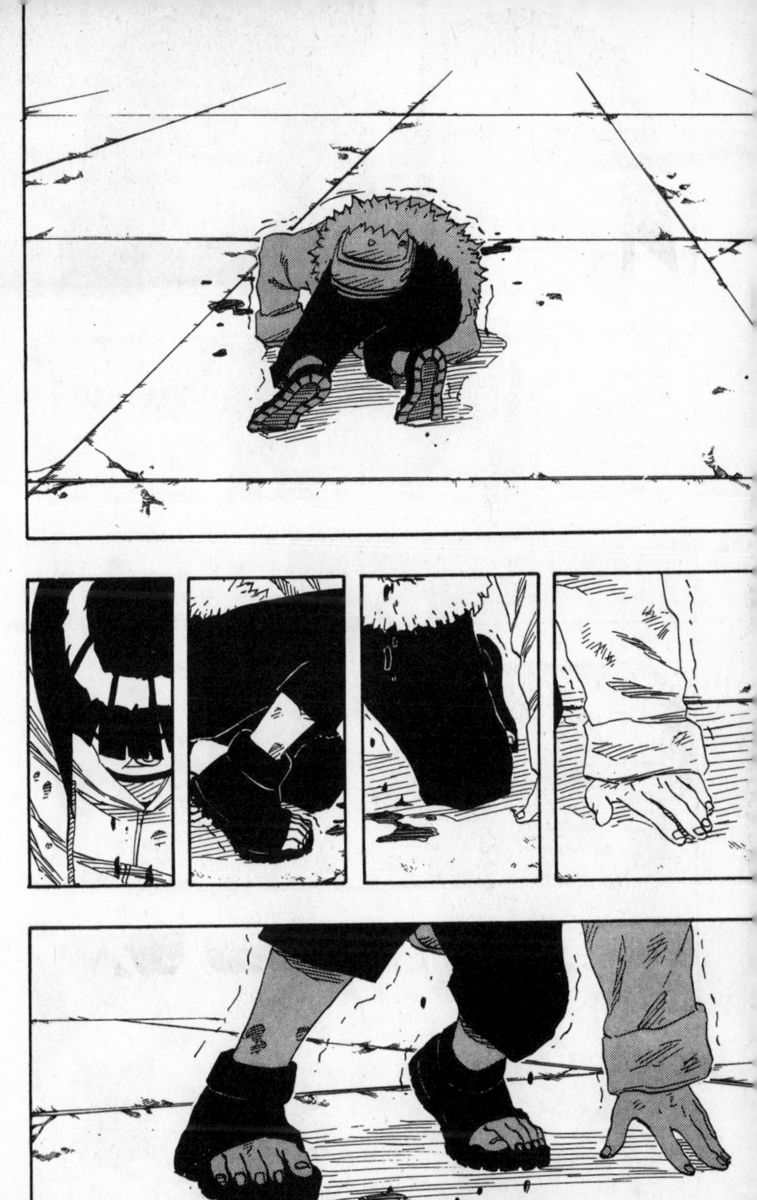

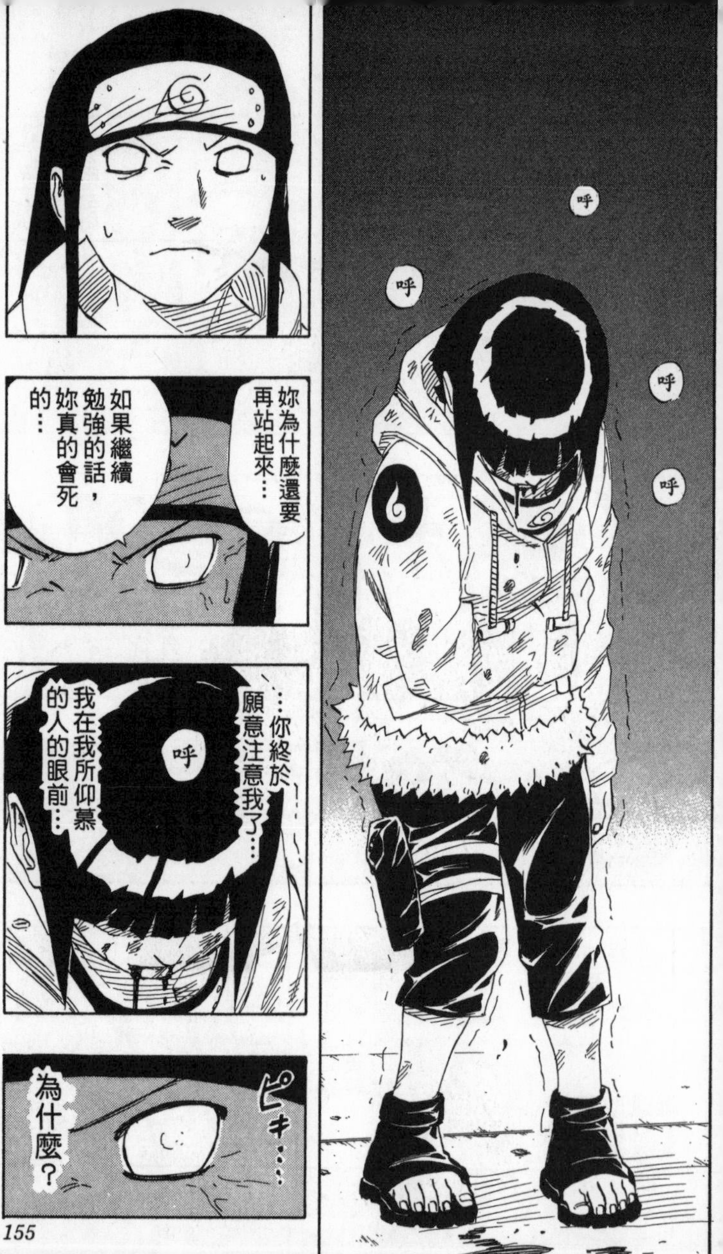

呼
呼
呼
呼

妳為什麼還要再站起來⋯⋯
如果繼續勉強的話，妳真的會死的⋯⋯

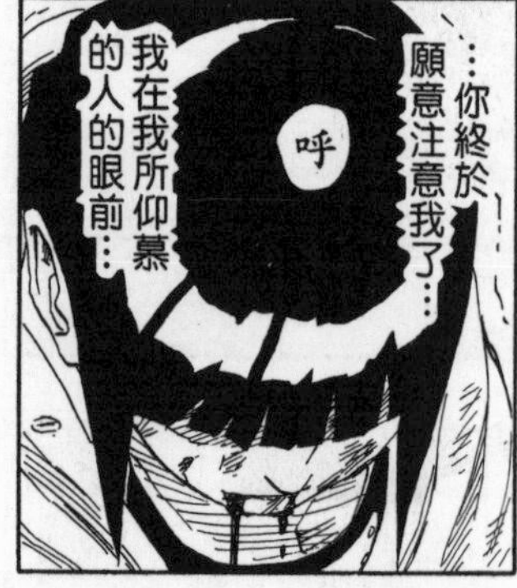
⋯你終於願意注意我了⋯⋯
我在我所仰慕的人的眼前⋯⋯
呼

ピキ⋯⋯
為什麼？

……因為我不能讓他……
看到我出糗的樣子呀……！

ビキ

……

還…還沒結束呢…
逞強也沒用的…
妳光站著都很勉強吧？我的眼睛一看就知道了…
打從出生之後，妳就背負著日向宗家的宿命…
妳詛咒並且責備毫無力量的自己……
不過人是沒有辦法改變的…這就是命運…

妳已經不需要再受苦了…
讓自己快樂過活吧——！

…寧次哥哥，事情不是這樣的…
因為我看得出來…跟我相較起來…

在宗家與分家的命運之中，你才是覺得迷惑痛苦的人…
ピク

ギロリ

ジクッ

タッ
！
！

寧次同學！比賽已經結束了！
糟…糟了……！

!!

咚

寧次，你要適可而止呀！
你不是跟我約定過，不再為了宗家的事跟別人起衝突嗎？
為什麼連其他上忍都跑出來了？這是對宗家的差別待遇嗎？

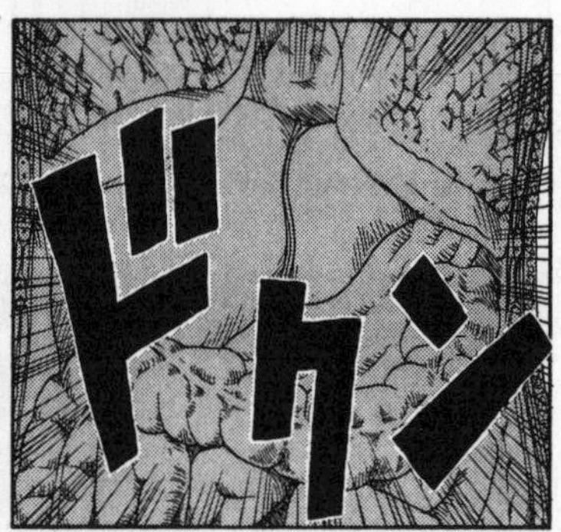
ドクン

!!

咳……
咳咳！
ガクッ

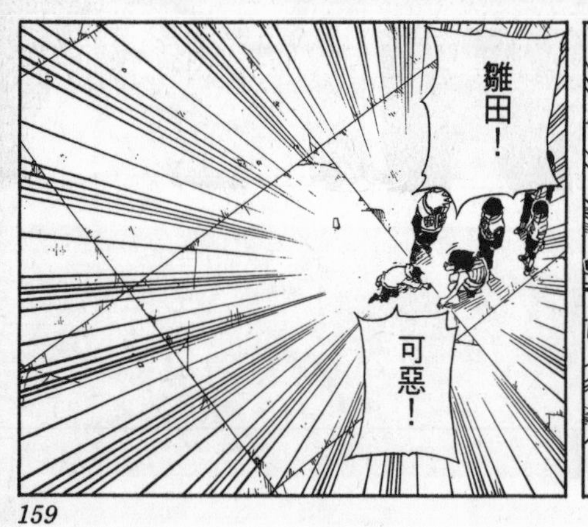
雛田！
可惡！

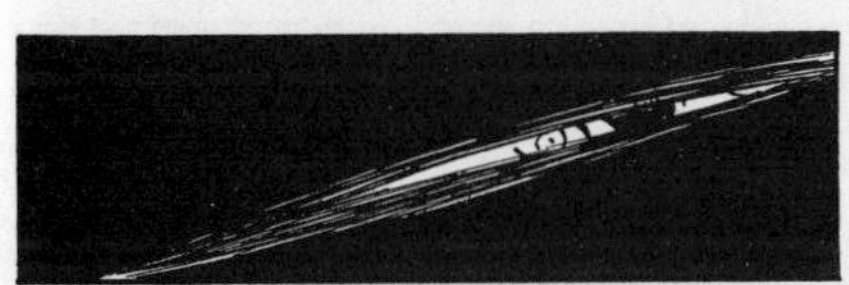

我……是不是……

……有些改變了呢……？

喂！
那邊那個吊
車尾的！

！
我要忠
告你兩件
事情……

如果你是忍者
，就不要做出
那種替別人加
油的醜事！
還有另外
一點…

吊車尾
就是吊車尾
……
不可能
會有什麼改
變的！

……！

81：我愛羅VS…

吊車尾就是吊車尾……
不可能會有什麼改變的！
スッ

啊!
!!

……

!!!

!

…!

……

你幹什麼？
我非常了解你的心情…
但是勝負應該要在正式的比賽之下進行才對！

……

吊車尾以自己的努力打敗天才……
這樣的決賽倒是很令人期待…
因為，搞不好他的對手就是我呢！

……
……即使到時候我的對手是你……
你也不能恨我喔——！

……
可惡…

我知道了啦…

唰！

!!

糟…糟了！心室纖維產生顫抖了！

如果妳有時間瞪我的話……
還不如好好看看她！

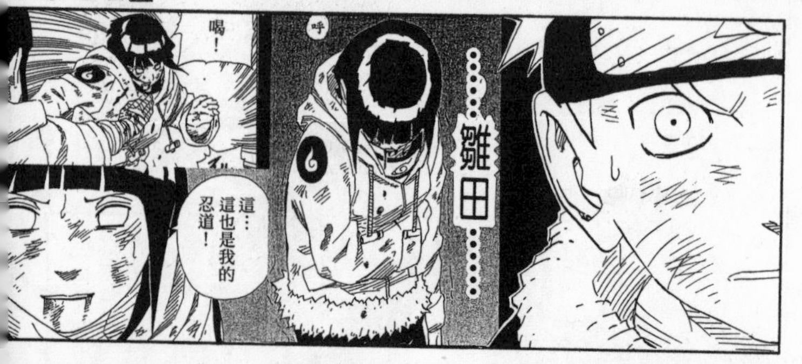
喝！
呼
這…這也是我的忍道！
……雛田……

…！

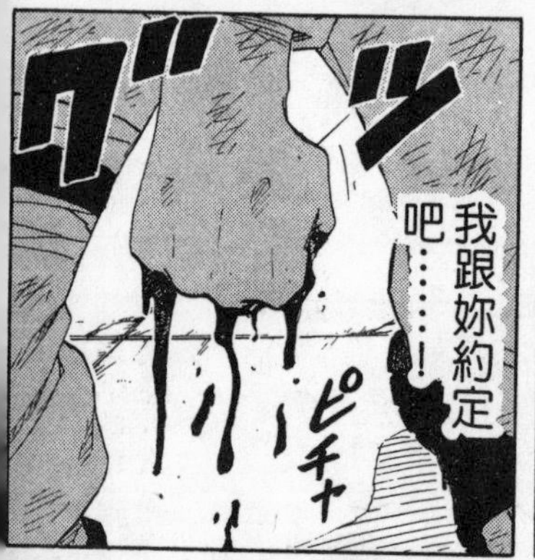
グッ
我跟妳約定吧……！
ピチャ

黏稠

スッ…
！

！

我一定要……
打贏你！

也就是說……現在這裡有兩個怪物囉……
不過我們這邊這一個，脾氣比較不好……

ウズ…

在他體內的惡魔……
開始蠢動了！

糟了……我愛羅這傢伙看到血之後，情緒又激動起來了……

噠……
噠……

不過那個叫寧次的傢伙……
好像完全沒有受到傷害一樣，而且似乎還隱藏著實力……
看來我必須先為決賽擬定對策了……
愛

去收集情報吧……
好……就從那個叫鳴人的笨蛋那裡，問出一些事情吧……

喂……！
！

你真是個有趣的傢伙……
我中意你囉！
ザッ

──你很無聊耶
我討厭你啦！

你有什麼證據說我啊？殺了你喔！
イラ
イラ
混……混蛋……
幹什麼啦……？

我想問你一些事…
那個叫日向寧次的傢伙……
！

……

我要打敗他——！
沒人問你這種事情啦…

那麼，接下來…
ゴホッ
ゴホッ
繼續進行下一回合！

愛

差不多該輪到你啦！
小李，上吧！

不！
坦然回絕

！

既然已經撐到這個時候了，我希望⋯
プイ
能夠成為最後的壓軸！
⋯⋯
他好像在鬧脾氣耶⋯⋯

！

丁次，你蠻危險的耶！
現在只剩下一些厲害的人還沒上場！怎麼辦？

尤其那個砂忍者村的…他的眼神很危險！
那種人是最危險的類型！

反正我馬上就會棄權了…所以沒什麼關係啦！
也就是說考試結束之後，我們不去吃燒肉吃到飽囉！

你居然用食物引誘他呀…
老師…你怎麼這樣…
放心吧！情況不對的時候，我會像雛田那場比賽一樣，衝進去阻止…

對呀！既然老師都這麼說了，丁次你也要加油啊！
這很難講吧…雛田那場比賽沒有衝進去阻止的木葉老師…
就只有你耶…！丁次他沒問題吧？

上吧！燒肉！
我要吃燒肉——
這傢伙被老師吃定啦！

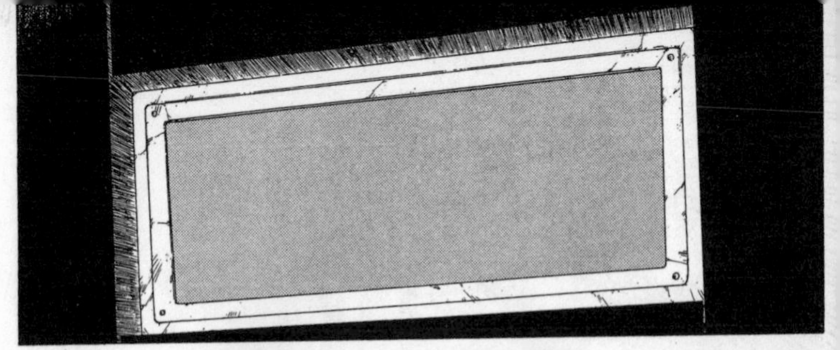

那麼……

ゴクッ

ドキ
ドキ

スウ…

咻……

……

快下來吧！

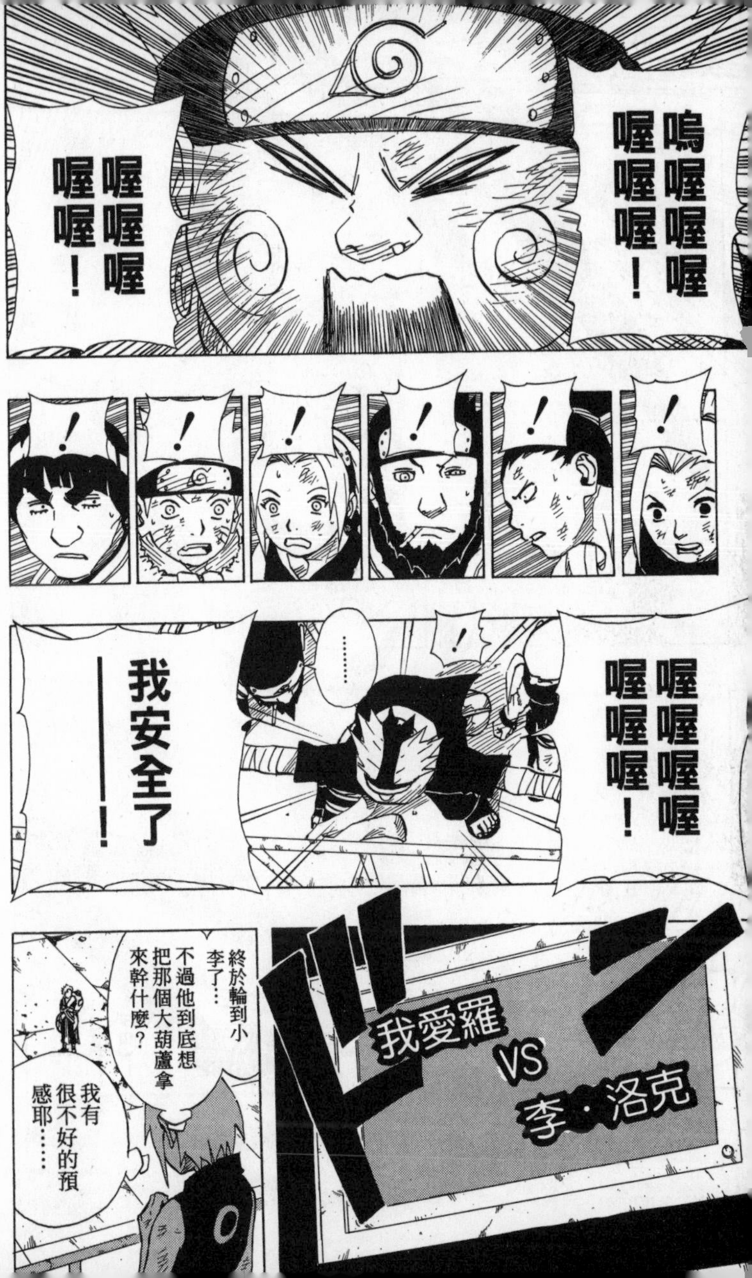

嗚喔喔喔喔喔喔！
喔喔喔喔喔！
！
！
！
！
！
！
喔喔喔喔喔喔喔！
！
……
我安全了——！

シュビ
你們上當啦——！
我說希望最後上場，卻不是最後上場！
這就跟瞄準電線桿丟石頭卻打不中…
而想讓石頭不打中而投出去，卻反而打中的法則一樣！

我才不想當壓軸的人呢！
…有人上當嗎？

小李，我給你一個沒有人會發現的建議吧！
好…！
ゴクッ

我覺得那個葫蘆非常可疑……

這樣啊…
不用記下來啦！在戰鬥的時候，你根本沒空看那玩意吧？
原來如此……
カキカキ
小李他沒問題吧？

好！小李——去吧——
ババッ
是…！

沒想到這麼快就能跟你交手了……

真令人高興啊……

愛

……哼！

36K 80元
顫慄駭人的事實
個愉快的暑假之旅
卻遇上了前所未有的
的旅行一下子變成了
被迫困在孤島上，在食
的情形下要如何自救呢？
的就此毀滅了嗎？還是……
EX 少年漂流 ①~③
山田恵庸
日本講談社正式授權中文版

TONG LI COMICS
眞島火爆浪子!!
陣內流柔術武門傳
庭野真琴人
全15冊
發燒熱賣中！
陣內流柔術繼承人—眞島　零，一位富有正義感的高中生，決心向武術的最高境界挑戰，成爲世界最強的格鬥家。
這次，在光臨館空手道大會上，他遭遇了來自各方的英雄好漢。
眞島的心願能達成嗎？
揭開古武術「柔術」的神秘面紗！
在優勝劣敗的格鬥世界當中，
誰才是世界最強的男人！
每冊特價
80元

閃靈2人組
GetBackers
原作 青樹佑夜
漫畫 綾峰欄人
有我們就搞定了!!
★眾所矚目的單行本1~10集全省熱賣中!
成功率百分百!
閃靈出馬，萬事OK!
36K
「被搶走的東西，一定幫你搶回來！」
秉持這種堅定信念的無敵搭檔·美堂蠻與天野銀次，
以百分之百的任務達成率，打響了「閃靈二人組」的名號！
定價80元
日本講談社正式授權中文版

日本講談社正式授權中文版
大
上鉤囉！
36K
80元
釣魚樂翻天
戶田勝之①~⑪
釣太與湖一這對釣魚同好，
凡事放兩旁、釣魚擺中間，
有天大的事，
等釣夠了大魚再說！

日本講談社正式授權中文版
以輪擺式移位攻擊而聞名的拳王幕之內，用他獨特的招式及訓練方法一路過關斬將，打敗了許許多多來挑戰的強敵，但是他的絕招--輪擺式移位攻擊真能所向無敵嗎？而下一位來挑戰拳王的人又會是……
試
這一拳吧
第一神拳
1~56 32K8C
森川讓次

看我的
正義鐵拳！
為了被囚禁的家人，
也為了河南的將來，
村民們在陳敏的帶領下，
開始籌劃起義行動……
他們真有辦法對抗訓練有素的軍隊嗎？
前川 剛
①～⑪ 36k 80元
新鉄拳小子

波濤再起
結束與志志雄的對戰而回到東京的劍心，
平靜的生活即將被復仇者粉碎！
神劍闖江湖
超人氣大師
知月伸宏
每冊特價
80元
全省超速狂賣中！

KY 鬼眼狂刀
上条明峰
血紅的千人斬傳說
☆最新單行本第9集
全省狂爆發售中！
由夜竟然被十二神將給捉走？
就在狂一行人束手無策的同時，幸村
終於出現！另一方面，「那一位」也開
始行動，一步步逼向狂一行人……危險
的氣味開始在惡魔樹海裡瘋狂擴散！
36 K 80元
日本講談社正式授權中文版

JC08209 C0P192

火影忍者⑨

原名：NARUTO—ナルト—⑨

■作　　者　岸本斉史
■譯　　者　方郁仁
■執行編輯　陳苡平
■發 行 人　范萬楠
■發 行 所　東立出版社有限公司
■東立網址　http://www.tongli.com.tw
台北市承德路二段 81 號 10 樓
☎(02)25587277　FAX(02)25587281
■劃撥帳號　1085042-7（東立出版社有限公司）
■劃撥專線　(02)28100720
■印　　刷　嘉良印刷實業股份有限公司
■裝　　訂　台興印刷裝訂股份有限公司
■法律顧問　曾森雄律師　曲麗華律師
■2001 年 12 月 15 日第 1 刷發行
2003 年 5 月 5 日第 4 刷發行

日本集英社正式授權台灣中文版

© 2000 by Masashi Kishimoto
All rights reserved.
First published in Japan in 2000 by SHUEISHA Inc., Tokyo
Mandarin translation rights in Taiwan arranged by SHUEISHA Inc.
through ANIMATION INTERNATIONAL LIMITED.

版權所有・翻印必究
■本書若有破損、缺頁請寄回編輯部

ISBN 957-699-997-9　定價：NT80 元

TAIWAN CHINESE EDITION, FOR DISTRIBUTION AND SALE IN TAIWAN ONLY
台灣中文版・僅限台澎金馬地區發行販售

W9-CUE-043